Paddy MacPat

Julia Donaldson
Illustré par Axel Scheffler

GALLIMARD JEUNESSE

Paddy MacPat était un chat de musicien ambulant
Au miaulement sonore et fort puissant.
Le chat et son maître chantaient ci,
     chantaient ça,
Et les gens leur jetaient des pièces dans un vieux
     chapeau à carreaux.
Voici quelle était leur chanson préférée :

« *Ma vieille guitare et MIAOU nous deux,*
Que MIAOU nous sommes heureux.
Ma vieille guitare et MIAOU nous deux,
Que MIAOU nous sommes heureux !
MI-A-OUHOU ! »

Un beau matin, pendant que Fred déjeunait,
MacPat le tigré partit faire le tour du quartier.

Mais il n'alla pas très loin, car en chemin
Il croisa une jolie petite chatte aux yeux verts.
Toute noire, avec son bout de patte blanc, elle avait bel air.

Socquette et Paddy causèrent entre chats,

Et c'est ainsi que leur histoire commença,

Car tandis qu'ils tchatchaient de ci, tchatchaient de ça…

Le vieux chapeau à carreaux intéressa
Un voleur qui le repéra, s'en empara et fila !

Le chanteur se précipita, marcha sur son lacet
Et badaboum! s'étala au milieu de la chaussée.

Une grosse bosse sur la tête et une jambe cassée :
l'ambulance dut l'emmener.

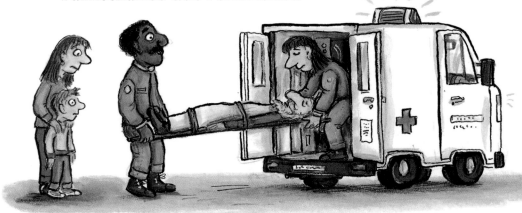

Et il se retrouva à l'hôpital, plâtré,
À l'autre bout de la ville, coincé.

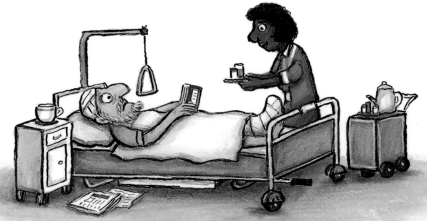

– Au revoir, dit Paddy MacPat. Je dois aller retrouver Fred.

Mais le chanteur des rues avait bel et bien disparu.

Le soleil se coucha, la lune se leva.

Les étoiles apparurent, et Fred ne revenait pas.

Paddy guetta… attendit… patienta…

Une semaine plus tard, Socquette fit le tour du pâté de maisons
Et retrouva son nouveau compagnon, abattu et maigrichon.
– Il est parti, il m'a abandonné ! dit Paddy en conclusion.

Alors Socquette proposa :
– Mes maîtresses, Nella et Isa,
Seraient ravies d'accueillir un tigré comme toi.

Elle disait vrai : Paddy s'installa chez ces dames-là.

Le lendemain, Fred quittait l'hôpital
Et retournait au square, un peu bancal.
Mais une fanfare avait remplacé le chanteur et son chat.
La fanfare jouait ci, la fanfare jouait ça,
Et Fred chercha, chercha son chat à la si puissante voix,
Mais nulle part ne le trouva !

À présent, MacPat avait une compagne et une vie bien remplie,
Des tas de choses à faire, et le jour et la nuit :

Laver les pieds de Nella

Et sauter sur Isa,

Cacher les clés de la voiture
sous le paillasson,

Et défroisser tous les journaux
de la maison,

Donner un petit coup de patte
à Isa qui écrit,

Et grignoter ci...

Et grignoter ça.

Mais il rêvait encore à son ami,
le musicien ambulant,

Et se réveillait toujours en miaulant
puissamment.

Il se demandait souvent :
« Qu'est-il arrivé au vieux chanteur ? »
Et ses pas le ramenaient chaque fois
au square d'antan,
Où s'était installé un prestidigitateur

Qui, de son chapeau, sortait ci...   Sortait ça...

Les gens lui jetaient des pièces dans son grand chapeau noir,
Et Fred n'était toujours pas là.

Un matin, Socquette lui dit :
— Regarde donc sous le lit
Les trois jolis chatons que nous avons !

Et Georges ressemblait à ci,

Et Suzanne ressemblait à ça,

Et le plus petit des chatons, du nom de Sacha,
Ressemblait comme deux gouttes d'eau à son papa.

Les trois petits chats grandirent et apprirent à miauler,
Et Paddy MacPat leur chantait parfois sa chanson préférée.

Et Sacha, le chaton gris et tigré,
Au miaulement assourdissant, au ronronnement profond,
Adorait véritablement cette chanson :

> *« Ma vieille guitare et MIAOU nous deux,*
> *Que MIAOU nous sommes heureux.*
> *Ma vieille guitare et MIAOU nous deux,*
> *Que MIAOU nous sommes heureux !*
> *MI-A-OUHOU ! »*

Lorsque Suzanne et Georges s'installèrent chez des gens affectueux,
Leurs parents furent fiers et heureux pour eux.

Les uns étaient comme ci....

Et les autres, comme ça...

Mais personne ne voulait du pauvre Sacha.
– Il a une trop grosse voix, disait-on de ce chat.

Paddy MacPat était très bien parmi les siens,
Mais il pensait tout le temps à Fred le musicien.

Alors, un jour, il fit venir sa compagne et son fils
Et leur dit :
— Mes chéris, il y a des choses dans la vie
Qu'on ne peut éviter : je dois absolument le retrouver.

Donc, de bas en haut…

Dans les jardins, au bord de l'eau…

Il arpenta la ville une semaine d'affilée,

Tous les matins, les après-midi, sans se décourager,
Sous le soleil, sous la lune et la Voie lactée,

Jusqu'à ce qu'il entendît ce petit air familier…

« Tout seul avec ma vieille guitare,
Mon chat parti, que je suis malheureux !
Tout seul avec ma vieille guitare,
Mon chat ici, que je serais heureux ! »

– Mais c'est Paddy MacPat ! Mon chat
chéri que revoilà !
S'exclama le vieux Fred, fou de joie.

Puis ils reprirent leurs morceaux
Chantant ci, et chantant ça,
Tandis que les passants jetaient des pièces
dans le nouveau chapeau à carreaux…

Mais pourquoi Paddy se sentait-il si morose ?

Sa compagne lui manquait,
   ainsi que sa petite vie toute rose,
Et les nombreuses choses qu'il avait à faire
   jour et nuit :
Laver les pieds de Nella et sauter sur Isa,
Cacher les clés de la voiture sous le paillasson,
Défroisser tous les journaux de la maison,
Donner un petit coup de patte à Isa qui écrit.
Mais comment expliquer tout cela
   à son vieil ami ?

Soudain, Sacha surgit et s'approchant de son père :
– Chat de chanteur, voilà ! Dans la vie, c'est ce que je veux faire !
Déclara-t-il de sa grosse voix extraordinaire.

Depuis, le chat du chanteur c'est Sacha
Au puissant miaulement, célèbre dans tout le quartier.
Le chanteur et son chat chantent ci, chantent ça,
(Sauf que Sacha chante un petit peu faux),
Et les gens leur jettent des pièces
    dans le vieux chapeau à carreaux.

Voici quelle est leur chanson préférée :

« Ma vieille guitare et MIAOU nous deux,
Que MIAOU nous sommes heureux.
Ma vieille guitare et MIAOU nous deux,
Que MIAOU nous sommes heureux ! MI-A-OUHOU ! »

Pour ma sœur, Mary – J.D.
Pour mon frère, Martin – A.S.

Traduction : Anne Krief

ISBN : 978-2-07-062795-0
Titre original : *Tabby McTat*
Publié pour la première fois par Alison Green Books,
un imprint de Scholastic Children Books, Londres,
une division de Scholastic Ltd
© Julia Donaldson 2009, pour le texte
© Axel Scheffler 2009, pour les illustrations
© Gallimard Jeunesse 2009, pour la traduction française
Numéro d'édition : 169668
Loi n° 49-956 du 16 juillet 1949 sur les publications destinées à la jeunesse
Dépôt légal : septembre 2009
Imprimé à Singapour